Des mêmes auteurs :
Pizza quatre saisons

ISBN 978-2-211-09620-1

© 1997, *l'école des loisirs*, Paris

Loi 49956 du 16 juillet 1949 sur les publications
destinées à la jeunesse : août 1997
Dépôt légal : avril 2010

Mise en pages : *Architexte*, Bruxelles
Photogravure : *Photolitho AG*, Gossau-Zürich
Imprimé en France par *Mame Imprimeur,* Tours

Coyote mauve

Texte de Cornette
illustrations de Rochette

Pastel
l'école des loisirs

Au milieu du désert plat et aride
se dresse une colline de sable et de roche.

Près de cette colline, il y a une petite maison.
Jim joue tout seul dans le jardin avec son vieux
camion auquel il manque une roue.

Un jour,
un coyote apparaît sur la colline.
Un coyote pas comme les autres.
Un coyote mauve.

Jim le regarde…
Le coyote effectue deux pas de danse.
Puis il se met en équilibre sur la patte de devant droite
et pousse un drôle de hurlement:
"WULULI WULA WULILA WUWU WA!"
Ensuite, il s'assied et le vent du soir, lentement,
démêle ses poils mauves.

La nuit tombe et la lune monte.
Jim observe le coyote mauve
jusqu'à ce que sa mère l'appelle
pour le repas du soir.

Le lendemain, Jim ne joue pas avec son camion
qui a perdu une deuxième roue.
Il va attendre le coyote au pied de la colline.
Le coyote mauve apparaît. Il esquisse deux pas de danse,
se met en équilibre sur sa patte de devant droite et pousse
son "WULULI WULA WULILA WUWU WA !"

Jim escalade la colline.
Ce n'est pas bien difficile : elle n'est ni haute ni abrupte.
Il s'approche de l'animal, le salue et lui demande :
"Pourquoi es-tu mauve ?
Ce n'est pas normal pour un coyote !"

"Je ne te le dirai pas!" répond le Coyote. "Pourquoi?"
"Parce que c'est un secret! Mais, si tu veux, tu peux
me poser des questions…" Jim réfléchit très fort,
regarde le coyote mauve dans les yeux et lui demande:
"As-tu mangé trop de myrtilles?"
"Je ne mange jamais de myrtilles!"

Chaque après-midi,
le coyote mauve revient sur la colline, fait ses deux pas
de danse, se met en équilibre sur sa patte de devant droite
et pousse son "WULULI WULA WULILA WUWU WA!"

Chaque après-midi,
Jim rejoint le coyote, le salue et lui pose une question.
"As-tu appliqué de la teinture mauve sur ton pelage?"
"Non", répond le coyote.

"Es-tu né mauve?"
"Non!"
"As-tu attrapé la mauviose?"
"Non!"
"As-tu attrapé la mauvite?"
"Non plus!"

Les jours passent. Jim commence à s'impatienter.
"Je me moque de savoir pourquoi tu es mauve!"
crie-t-il au coyote. Fâché, il songe à ne plus venir
sur la colline mais la curiosité l'emporte sur la colère.
"Dis-moi plutôt pourquoi tu danses ainsi et pourquoi
tu pousses ce drôle de cri?"
Le coyote sourit: "Ça, c'est mon autre secret", dit-il.

Jim fait un effort violent pour garder son calme.
Il prend un air détaché et dit : "Ça, c'est un secret idiot.
Tout le monde peut faire ça ! Regarde…" Jim fait deux pas
de danse, se renverse sur le bras droit et hurle un strident
"WULULI WULA WULILA WUWU WA !"

Instantanément, Jim devient mauve.
Le coyote, lui, retrouve la couleur coyote.
Une couleur de désert, couleur de sable.

"Bravo!" dit le coyote, "tu as découvert
mes deux secrets d'un seul coup! Tu m'as rendu
ma couleur naturelle. Je peux partir maintenant."
Il ajoute encore un "Au revoir, Jim!" et disparaît
dans l'immensité du désert…

Jim est mauve et seul.
La nuit est tombée sur la colline lorsqu'un petit raton
laveur noir et roux s'approche de lui. "Salut!" dit-il.
"Salut!" répond l'enfant mauve.

"Tu as vu ? Je suis tout mauve."
"Oui", dit le petit animal.
"C'est mon secret…" dit Jim.
"Tu veux le connaître ?"

"Non."